Dos semanas con los ticos

Dolores Soler-Espiauba
Dos semanas con los ticos

COSTA RICA

Serie América Latina

Diseño de cubierta: Eduard Sancho
Diseño del interior y maquetación: Oscar García Ortega
Fotografía de cubierta: Scott Robinson
Ilustraciones: Paloma Soler-Espiauba

Grabación CD: CYO Studios
Cordinación: Ester Lázaro
Locutora: Natalia González

El texto de esta novela ha sido gentilmente supervisado por la señora
Giovanna Valverde, de la Embajada de Costa Rica en Bruselas.
Altea, Abril 2007.

ISBN: 978-84-8443-473-3
Depósito Legal: B-34112-2008

Impreso en España por TESYS

difusión

Centro de
Investigación y
Publicaciones
de Idiomas, S. L.

C/ Trafalgar, 10, entlo. 1ª
08010 Barcelona
Tel. (+34) 93 268 03 00
Fax (+34) 93 310 33 40
editorial@difusion.com

www.difusion.com

Capítulo 1

Manuel conecta el ordenador y abre el correo. Está nervioso, pero lee el mensaje. El asunto dice: Concurso Casa de América. Las manos de Manuel tiemblan, pero su dedo índice hace clic y el texto aparece:

"Tenemos el placer de comunicarle que es usted el ganador del Concurso Jóvenes Poetas, Poemas para viajar. Casa de América. Por favor, llame al Departamento de Intercambios Culturales y pregunte por la señora Alfaro".

Manuel salta de alegría y lo primero que hace es coger el móvil[1].

—Rocío… ¡Ya está! ¡Soy el ganador del concurso!

—¿Qué dices? ¿Estás loco?

—¿Loco? ¡Loco de alegría! ¡Nos vamos a América Latina! ¿Te das cuenta?

—¡No me lo puedo creer, Manuel! ¡Qué pasada[2]! ¿Qué te dicen?

—Casi nada, es un mensaje muy cortito[3]. Ahora tengo que llamar por teléfono. Luego te cuento, ¿vale?

—¿Sabes qué te digo? ¡Voy a tu casa ahora mismo! ¡En bus, estoy ahí en media hora!

Manuel marca el número de la señora Alfaro, en Madrid.

—Casa de América. Intercambios Culturales. Buenos días.

—Buenos días. ¿Puedo hablar con la señora Alfaro?

—Soy yo. ¿Qué desea?

–Me llamo Manuel Arce y llamo desde Oviedo. He recibido un mensaje…

–¡Ah, claro! Ya sé quién es. Le felicito, Manuel. Es usted el ganador del concurso "Poemas para viajar". Ya sabe: un viaje de dos semanas a Latinoamérica con la persona de su elección. Y con todos los gastos pagados. Ahora solo tiene que elegir el país donde desea ir, nosotros nos ocupamos de los billetes y las reservas.

–Bueno, yo… Si me permite, tengo que consultarlo con… bueno, con mi novia, la chica que me va a acompañar… Puedo contestarle más tarde, ¿verdad?

–Por supuesto, no hay prisa. ¿Me llama la semana que viene?

–¡No, no! Esta tarde, esta misma tarde. ¿Hasta qué hora puedo llamar?

–Estoy en mi despacho hasta las seis y media. Espero su llamada, Manuel.

Manuel abre un atlas, compañero de todos sus años de estudio y el mapa de América Latina aparece en verde, azul, marrón… las llanuras, los ríos, las montañas… Y también sus sueños: cruzar el océano, volar sobre los Andes, navegar por el Amazonas, visitar los templos mayas y aztecas… México, Perú, Guatemala, Chile, Argentina… Tiene tantas ganas de conocer América…

El timbre de la puerta anuncia la llegada de Rocío. Manuel, como muchos estudiantes españoles, vive en casa de sus padres porque es difícil emanciparse[4], los precios de los pisos no ayudan. Pero afortunadamente, esta tarde no hay nadie en su casa y podrá hablar tranquilamente con Rocío. Ella comparte piso con otros dos estudiantes, porque sus padres viven en un pueblecito de Asturias, donde no hay universidad, bastante lejos de Oviedo.

—¡Qué guay[5], Manu! ¿No alucinas[6]? ¡Tú y yo en América!

—Es de película, de película. Pero tenemos que decidirnos hoy mismo. Esperan nuestra respuesta.

—¿Qué respuesta?

—Pues el país elegido... ¿Qué respuesta va a ser? Mira, aquí tienes el mapa.

—¡Huy, qué difícil!

—Pues yo ya lo tengo claro. Ya estoy decidido. ¿Y tú, qué dices?

—Jo[7], qué prisas... Espera un poco, tengo que pensarlo bien.

—No. Mira, vamos a hacer una cosa. Tú escribes en un papel la letra inicial del país que prefieres y yo hago lo mismo en otro papel, ¿vale? Después los miramos, a ver si es el mismo.

—Vale...

Rocío saca su bolígrafo y escribe: C.R. Manuel busca un lápiz y escribe: C.R.

Se intercambian los papeles y los leen. Los dos se echan a reír y se abrazan.

—Esto hay que celebrarlo, ¡un beso ahora mismo!

—¡Costa Rica!

—Tus besos sí que son ricos[8].

— ¡Venga ya[9]!

— Anda[10], explícame por qué Costa Rica —pregunta Manuel.

—Lo sabes desde que nos conocemos, Manu. Pues porque me gusta la naturaleza, porque soy ecologista, porque me encanta caminar por lugares solitarios, porque me gustan el mar y las playas salvajes, y los animales en libertad, y...

–Bueno, vale, vale. Me lo creo. ¿Y quieres saber por qué quiero yo ir a Costa Rica?

–Ni idea… ¿Por qué?

–Pues porque es uno de los pocos, poquísimos países del mundo donde no hay Ejército.

–¿De verdad?

–¡De verdad! Desde su abolición[11] ¡en 1948! ¿Te das cuenta? ¡Un país que funciona desde hace más de medio siglo sin Ejército! El presupuesto[12] del Ejército va a la Educación y a la Salud pública.

–¿Qué? ¿Llamamos para dar la respuesta?

–Llamamos. Oye, y no te olvides de decirles que yo también voy.

–Cómo me voy a olvidar, mujer. ¿Otro beso?

Unos golpecitos discretos en la puerta: toc, toc…

Son los padres de Manuel y Natalia, su hermana menor, que tiene 17 años.

–¡Manuel, hijo mío, Manuel! ¿Lo sabes ya? Tu padre lo ha visto en internet, en la oficina. ¡Es genial ¡Qué hijo tengo! –y la madre lo abraza, y el padre también.

–Voy a buscar una botella de sidra[13] en la nevera –grita Natalia–. ¡Esto hay que celebrarlo!

Y vuelve con la botella y cinco vasos.

–¡Salud!

–¡Por vuestro viaje!

–¿Y se puede saber a qué país vais?

–Pues… ¡Es un secreto! Os lo decimos mañana. Nos vamos a dar una vuelta para calmar los nervios. ¡Gracias por la sidra!

Toda la noche pasean por Oviedo[14]. Evitan las calles del casco antiguo, ruidosas y llenas de jóvenes. Pasan junto al

Teatro Campoamor, donde cada año se dan los premios Príncipe de Asturias[15], pasan junto a las numerosas estatuas de bronce que decoran la ciudad. La de Woody Allen parece saludarles. Llegan al campus de la Universidad, silencioso a estas horas. Rocío estudia Biológicas y Manuel Filosofía. Están los dos en segundo año y sueñan con un Erasmus[16] en cualquier país de Europa el próximo curso. Casi sin darse cuenta, llegan a su lugar preferido, una pequeña iglesia prerrománica, San Julián de los Prados, una maravilla del siglo IX, rodeada de un prado muy verde en plena ciudad. Se sientan muy juntos en la hierba y miran las estrellas pensando: ¿son las mismas que en el cielo de Costa Rica?

* * * * * * * * * * * *

—Excelente idea, Costa Rica —dice la señora Alfaro—. Un país maravilloso, lleno de recursos naturales. Además, los ciudadanos de la Unión Europea no necesitan visa[17]. Pero… sí necesitan ustedes pasaporte electrónico.

—¿Pasaporte electrónico? ¿Y eso qué es? —pregunta Rocío a Manuel.

—Sí, mujer, es algo que han inventado en Estados Unidos, con huellas dactilares, foto y un chip que guarda todos tus datos en la memoria…

—Manuel… ¿hola?, Manuel… ¿me oye? Tienen ustedes que pedir el pasaporte lo antes posible. De lo demás nos encargamos nosotros, ¿de acuerdo? ¿En qué época piensan viajar?

—Pues… estamos a primeros de enero… —y mira a Rocío—. ¿Tal vez a finales de mes?

—¡Sí, sí, Manu! ¡Es el final del semestre en la Uni[18]!

Manuel tapa el móvil con la mano:

—¡Chiss! Si le parecen bien estas fechas, señora Alfaro, en la Universidad se termina el semestre y tenemos vacaciones. Enseguida nos ocupamos del pasaporte, no se preocupe.

—De acuerdo, Manuel, seguimos en contacto. La publicación de·sus poemas en nuestra revista está prevista para abril.

—Qué buena noticia. Adiós y muchísimas gracias por todo, señora Alfaro.

—¿Qué pasa? —pregunta Rocío.

—Mis poemas, Rocío… Los van a publicar.

—Mi querido Rubén Darío[19]… Qué novio más importante tengo. ¿Estás seguro de que quieres llevarme a América? ¿Nos van a dejar tranquilos los periodistas y las cámaras de televisión?

—Anda, cállate y ven aquí…

Capítulo 2

Hacen escala en el aeropuerto de Madrid, de donde salen los vuelos intercontinentales. Les parece inmenso, comparado con el de Asturias. Allí toman un segundo avión que va a volar sobre el océano. Es enorme, hay tres bloques de asientos separados por dos pasillos. Las azafatas van colocando a los pasajeros.

—La ventanilla para ti, Rocío.

—Bueno, pero a la vuelta, tú.

—¿Y si a la vuelta nos colocan en los asientos del centro?

—¡Qué horror! No lo quiero ni pensar. ¿Cómo se puede pasar una noche entera sentado ahí? Desde aquí, por lo menos, vemos el cielo.

—Y el mar, que es lo más bonito.

—No, lo más bonito es la tierra. En la tierra están los hombres.

—¡Mira la bióloga! ¿No serás un poco poeta tú también?

Manuel tiene unas piernas larguísimas, mide casi un metro noventa, y casi no le caben entre su asiento y el respaldo del asiento delantero. Los altavoces están diciendo ya que los pasajeros deben abrocharse el cinturón de seguridad y mantener los respaldos derechos.

El avión va a despegar de un momento a otro. Rocío tiene miedo, nunca ha volado. Manuel también, pero no lo quiere decir. Ha volado un par de veces a capitales europeas, pero nunca ha atravesado el océano.

—Es impresionante esto de cruzar el charco[20], ¿verdad, Rocío?

—Pues sí que lo es, Manu. Qué miedo tengo. Dame la mano.

Manuel la rodea con sus brazos y el avión se eleva en el aire. A sus pies comienzan a deslizarse los campos de Castilla, manchas geométricas que forman un puzle ocre, amarillo, pardo y verde claro. Madrid ha desaparecido y dentro de poco van a ver algunas manchas de nieve en las montañas. Vuelan hacia el Oeste, acompañando al sol. El océano los está esperando.

Manuel saca algo de su mochila.

—Mira, Rocío. Este es el libro que nos ha regalado mi hermana: *Costa Rica, hoy.*

—Es precioso. ¿Lo miramos un poquito?

—Vamos a ver el calendario del viaje, ¿tienes ahí la agenda?

—Sí, aquí la tengo. Hoy es martes, 29 de enero, ¿verdad?

—Verdad. Día inolvidable para nosotros. Es casi como un viaje de novios, ¿a que sí?

—Casi. Solo que no estamos casados.

—Qué más da[21]. Lo importante es estar juntos —y se besan, felices.

—Escucha —dice Manuel—. Escucha mi manera de quererte:

Yo no quiero cargar con tus maletas;
Yo no quiero que elijas mi champú;
Yo no quiero mudarme de planeta (…)

—¿Es un poema tuyo, Manu?

—Joaquín Sabina[22], Rocío. Joaquín Sabina.

—Es genial, ¿pero tú estás seguro de todo eso?

—Tengo claro que no quiero un amor casero y aburrido, un amor en zapatillas, hecho de rutina y de sofás delante de la tele.

—Pues muy bien, por eso nos vamos a Costa Rica. La aventura total y el *amour fou*.

—Bueno, y ahora un poco de seriedad. Llegamos... llegamos a las 16.20 a San José.

—¿Cómo es posible? ¿Solo cuatro horas? En España son ahora las 12.30, por lo menos en mi reloj... Pero qué tonta soy. Ahora, con el horario de invierno hay siete horas de diferencia con Costa Rica.

—O sea, que para nosotros serán siete horas más tarde, las 11.20 de la noche, hora española.

—Vaya horas de llegar. ¿Nos espera alguien?

—Creo que sí, con una pancarta y nuestro nombre... Como a la gente importante, qué guay.

—Es que somos gente importante. Quiero decir, tú, el poeta, eres gente importante.

—El poeta y su musa... Gente importante los dos. A ver esa agenda.

—Mira: mañana, miércoles... visita a San José, *tour* de la ciudad, cena con un grupo de jóvenes. El jueves, fiesta de la Poesía, también en San José. El viernes, salida hacia el Parque Nacional de Tortuguero, paseo por los canales. Veremos un volcán, haremos una excursión ornitológica... Qué maravilla, con lo que a mí me gustan los pájaros.

—Seguro que vas a ver cantidades de pájaros que no conoces, señora bióloga.

—Después del volcán, salida hacia el paraíso del Parque Nacional de Monteverde, con observación de los pájaros al alba. ¡Trescientas especies diferentes dice tu libro! Esto sí que debe ser una pasada.

–Y la segunda semana… Oye, aquí dice que en Monteverde se puede subir a los árboles con un equipo especial. ¡Qué guay! Y además, se practica el *canopy*, o sea, deslizarse ente las copas de los árboles… ¡Como los monos!

En ese momento pasan las azafatas con el carrito de la comida. Rocío ha pedido comida vegetariana y descubre en su bandeja arroz con verduras, ensalada, un poco de queso y una rodaja de piña. Manuel descubre en la suya una carne en salsa con zanahorias, un trozo de paté, ensalada y un flan.

–Te cambio el flan por la piña.

–Ni hablar. La vegetariana soy yo, ¿vale?

–Esta carne está insípida, no sabe a nada.

–Pues el arroz… una pena. Es comida de plástico.

–Qué desastre la comida de los aviones. ¿Pedimos un poco de vino?

–Venga. Un viaje así se celebra con un buen vino.

El vino sí es bueno. Tan bueno que les entra un poco de sueño. Rocío cierra los ojos y apoya la cabeza en el hombro de Manuel.

Me gustas cuando callas, porque estás como ausente,
distante y dolorosa como si hubieras muerto
una palabra entonces, una sonrisa bastan.
Y estoy alegre, alegre de que no sea cierto.

–¿Qué cosas tan bonitas me está diciendo mi poeta?

–No son mías, mi amor, son de Pablo Neruda[23]. Un regalo para ti a 10 000 metros del planeta Tierra.

Y Manuel también se duerme.

Cuando despiertan, el avioncito que se desplaza por las pantallas del circuito interno del avión ha avanzado mucho hacia el oeste y del sol sólo queda una línea roja en el horizonte. Debajo de ellos, el mar, impresionante y oscuro.

Manuel saca de su mochila una carpeta llena de papeles:

—¿Nos leemos todo esto?

—Vale. Te escucho.

—Aquí dicen que Costa Rica tiene 51 100 km^2 de superficie, que está al sur de Nicaragua y al norte de Panamá, y que la distancia entre las dos costas, del Pacífico al Caribe, es de 200 km. ¿La capital?

—San José.

—¿Habitantes?

—Cuatro millones y pico.

—4 133 000 habitantes exactamente. El idioma es el español, claro está, y es una república democrática. Su presidente…

—¡Óscar Arias, premio Nobel de la Paz!

—Un sobresaliente[24] para mi niña. Bueno, sólo hasta 2010, pues hay elecciones cada cuatro años. ¿Te sabes el código telefónico nacional para llamar a tu casa?

—Espera… ¡el 506!

—Qué tía[25], qué memoria. ¿Y el porcentaje de personas que saben leer?

—¡El 98%! Increíble en Centroamérica, ¿no?

—¿Productos agrícolas que exporta?

—El café y el banano, además de frutas tropicales como la piña… Aunque las nuevas tecnologías y el turismo son el número uno de la economía. Pero sé más cosas, por ejemplo, el número de urgencia de la policía: el 911.

—Eres increíble... ¿Pero para qué vas a necesitar saber el número de la policía costarricense?

—¡Ah! Nunca se sabe...

—¿Equipo indispensable para viajar a Costa Rica?

—Repelente de insectos, una mosquitera, una capa impermeable y zapatos cómodos. Pero bueno, en mi maleta hay muchas cosas más: biquinis, *shorts*, camisetas de todos los colores, minifaldas, sandalias...

—Te conozco, te conozco...

—Todo eso, en pleno invierno europeo, una gozada[26].

—Bueno, no me desconcentres. ¿Sabes que llaman a Costa Rica "la Suiza de América"? Aquí dice también que Costa Rica se independiza de España en 1821. La enseñanza gratuita y obligatoria se instaura en 1869 y, veinte años después, el voto por sufragio universal. No está mal, ¿eh? Después de un período un poco agitado, redactan una nueva Constitución, nace la Segunda República en 1944 y, en 1948, deciden abolir el Ejército, "porque implicaba gastos inútiles". ¿Te das cuenta?

—Genial. Eso deberían hacer todos los gobiernos.

—Escucha esto: "el dinero destinado al ejército ha permitido financiar la educación, la salud y el acceso a los servicios de agua potable. Su compromiso por la paz internacional es tan fuerte que, en 1987, Óscar Arias obtiene el premio Nobel de la Paz por su contribución a la firma de los Acuerdos por la Paz en América Central". Mira, aquí veo otra cosa interesante: "el 31 de enero es el día Nacional de la Poesía. Hay una lectura pública en el Centro Nacional de la Cultura, e intervienen autores conocidos y autores jóvenes."

—¡Genial! Estamos a 29, o sea que llegamos justo a tiempo.

—Sí, claro, aquí dice que estamos invitados al acto. Creo que hay también muchos espectáculos interesantes. Sobre todo música, danza, artesanía, cuentacuentos[27], marimberos[28]… Mira, lo dice aquí. El Centro Nacional de la Cultura debe de ser un sitio genial, hasta hay un festival de cine costarricense al aire libre, y una Feria Internacional de Artesanía en mayo.

—Eso nos lo perdemos, Manu.

—Pero vamos a ver otras muchas cosas interesantes, Rocío. San José fue el año pasado Capital Iberoamericana de la Cultura, y eso no desaparece en un año. Tenemos que comprar también libros. Hay algunos escritores que tenemos que descubrir, Alberto Cañas, Gerardo Hurtado, Carlos Fallas, Carlos Cortés… Oye, ¿y de la población de Costa Rica, sabes algo?

—Creo que la gran mayoría desciende de los españoles. Cuando estos llegaron, vivían allí los indios chorotegas… Todavía quedan veintidós reservas indígenas en el sur.

Una azafata está distribuyendo unas hojitas para rellenar, en las que les piden nombre y apellido, número del pasaporte y nacionalidad, lugar y fecha de nacimiento, cuánto tiempo van a estar en el país, dónde se van a alojar y si la razón del viaje es turismo o trabajo.

—Manu, Manu, mira el avioncito en la pantalla, por donde va ya… ¡Estamos llegando, Manu! —Rocío mira por la ventanilla—. ¡Acércate, mira!

Capítulo 3

La luz es tan intensa que las gafas de sol son absolutamente necesarias. La ciudad está en el centro de un gran valle, rodeado de montañas que culminan a 1 170 m. A estas horas de la tarde las calles están llenas de gente que vuelve del trabajo a casa. Hay ruido de bocinas y mucho tráfico, numerosos niños y gente joven, caras morenas y grupos que charlan en las esquinas. Vendedores de refrescos y de comida ambulante, bicicletas, muchachas con niños en brazos...

Rocío y Manuel miran y miran, mientras escuchan las explicaciones de Leonardo. Arlín conduce la buseta[29] hábilmente en medio del difícil tráfico. Los dos pertenecen a la ONG Ecología y Cultura que se va a ocupar de ellos durante todo el viaje. Tienen más o menos la misma edad que los dos asturianos y enseguida simpatizan y encuentran intereses comunes. En el aeropuerto, esperando el equipaje, han tomado juntos unos deliciosos jugos de papaya y mango. Ahora se dirigen al albergue de la ONG donde van a pasar la noche.

–Lo más deslumbrante de San José es su entorno –explica Leonardo–: sus bosques lluviosos a 30 minutos de la ciudad y las playas de agua transparente, que sólo están a dos horas de distancia. Pero 2006 ha sido genial para la cultura: festivales, encuentros, ferias, concursos, teatro, danza… ¡Pura vida![30]

–¿Y vos, sos poeta? –pregunta Arlín mirando a Manuel por el retrovisor.

Rocío le da un codazo[31] discreto a Manuel:

—Hablan como los argentinos, dicen *vos* –le dice bajito[32].

—Bueno, no creo poder vivir nunca de la poesía... pero me gusta, me gusta mucho. En fin, para ganarme la vida estudio Filosofía, para ser profesor, claro está.

—Pero gracias a la poesía están ustedes aquí.

—Nos llaman "de usted" –dice otra vez bajito Rocío.

—Pues claro. Es normal en toda América Latina, ¿no lo sabías? –Y después, en voz alta–. ¿Y vosotros, estudiáis o trabajáis?

Arlín y Leonardo se ríen.

—No se enojen, pero nos encanta su manera de hablar. Ese "vosotros" es como muy exótico.

—Pues lo del voseo y el ustedes... O sea que no es sólo cosa de los argentinos...

—¡Para nada! En muchos países de Centroamérica se vosea, y también en zonas de México y de Colombia... es el equivalente del "tú" español, pero menos sistemático. Ustedes, los españoles, tutean con mucha facilidad, ¿cierto?

—Es verdad, con demasiada facilidad. Vosotros sois más respetuosos.

—¿Y de qué ciudad de España son ustedes?

—¿Nosotros? De Asturias, de Oviedo. Somos asturianos.

—Bueno, ¿y qué es lo primero que vamos a visitar? –pregunta Rocío.

—Si no están muy cansados, pueden dejar sus cosas en la pensión, darse una ducha y ponerse cómodos. Y después damos una vuelta por el Jardín Botánico de Lankaster y cenamos juntos en el centro, nos esperan unos amigos para tomarnos un trago. Hay un pequeño cambio en el programa.

Mañana les dejamos descansar, para poder asistir pasado mañana al evento del Día Nacional de la Poesía, el poeta Manuel no puede faltar. Y el sábado hay que madrugar[33], porque salimos hacia Tortuguero, paseo por los canales en kayak, encuentro con los animales en libertad, descubrimiento de la flora tropical… Después vamos a ir al volcán Arenal, para ver el volcán y las aguas termales, y más tarde a Monteverde, para hacer *canopy*. No pueden devolverse a España sin ver un mariposario, tenemos mariposas tan lindas. Y las playas del Pacífico, que son las más bellas… Dejamos para el último día, la experiencia del *canopy* en Monteverde, el mejor recuerdo, ¿ok?

–Fenomenal. ¿Sabéis que estudio Biología y voy a especializarme en Botánica?

–Ah, pura vida. Este viaje está diseñado especialmente para vos, Rocío.

Capítulo 4

El hotelito es muy agradable: un patio lleno de plantas y de flores y todas las habitaciones dan a su galería interior. La habitación, muy clara y alegre, tiene una pequeña terraza y lindas fotografías de volcanes y de árboles en las paredes.

Rocío y Manuel se duchan, se cambian de ropa y el cansancio desaparece como por arte de magia.

Abajo los esperan sus nuevos amigos.

–¿Qué, están ustedes dispuestos a conocer el país de los ticos? ¿Les gusta el alojamiento?

–¡Pura vida! –contesta Rocío, riendo–. ¿Pero por qué os llaman *ticos*?

Leonardo y Arlín se echan también a reír:

–Porque siempre hablamos con diminutivos: *poquitico, chiquitico, pequeñito…*

–Y el nombre de Costa Rica lo inventó Cristóbal Colón, asombrado por la riqueza natural de nuestras costas del Caribe.

–Ah, ahora comprendo por qué la moneda nacional se llama colón… ¡por agradecimiento!

Dan un paseo por el centro: la Plaza de la Cultura, el Correo Central, la Casa Amarilla, que es el Ministerio de Relaciones Exteriores, los mercados llenos de frutas exóticas, muchos vendedores ambulantes y, por todos sitios, árboles, flores y pájaros.

—Y ahorita los vamos a llevar a San Pedro, una zona de estudiantes muy animada y con mucho ambiente, buena para ir de marcha[34], como dicen ustedes en España. Se puede comer bien y barato. Pero antes vamos a dar un paseíto por el parque de Lankaster, es pequeñito, se visita en media hora. Tienen que ver las orquídeas, que están empezando a florecer, una maravilla, *mae*.

Y es verdad. Rocío, la futura botánica, se cree en el paraíso terrenal y hace muchas fotografías de orquídeas de todos los colores. Hay también palmeras, cactus, bambúes... Pero Manuel tiene hambre, mucha hambre, porque la triste comida del avión ya está lejos.

Regresan a la ciudad con Leonardo y Arlín y descubren los *casados*, un plato típico con base de arroz y frijoles, plátanos y verduras. Manuel pide acompañamiento de pollo y Rocío, de pescado.

—¡Qué rico!

—¿Les gusta?

—¡Pura vida!

—¿Qué quieren tomar? La cerveza costarricense es buenísima.

—¡Pues dos cervezas!

Arlín, socióloga, les explica mientras comen que San José participa en un programa de la Unión Europea para convertirse en una ciudad apta para el desarrollo económico y personal de sus habitantes.

—A los ticos nos gusta participar en la vida de nuestra ciudad. Está dividida en cantones o municipios y nos sentimos muy identificados con ellos. Lo peor es el problema del tráfico, muy congestionado y también la contaminación del aire y el aumento de la población. Pero es una de las ciudades más seguras y menos violentas de Centroamérica.

En ese momento llegan Miriam, Rubén y Carlos, también de la misma ONG:

–¿Qué tal?

–¡Pura vida, *mae*! ¿Y ustedes?

Hacen las presentaciones y después se trasladan todos a un local de copas donde piden unos *guaritos*[35].

–*Mae*, qué *cool*, qué lindo estar con ustedes.

–Para nosotros es como un sueño, pero… ¿por qué dicen siempre *mae*?

Los cinco ticos se ríen:

–*Mae* para nosotros es como para ustedes *tío*. Los españoles siempre dicen *tío*, *tía*, ¿no? Es una costumbre, como un tic.

–Qué bien. Cuántas cosas estoy aprendiendo. Pero me muero de sueño. ¿Sabéis que Manu y yo estamos en pleno *jet lag*?

–¿*Jet lag* o luna de miel? –pregunta Leonardo.

–Para nada. Dormir es distraerse del mundo –dice Manuel, levantándose.

–¿Eso es tuyo, Manu? –dice Rocío, admirativa.

– Jorge Luis Borges, querida. ¡Buenas noches, *maes*!

Capítulo 5

El Centro Nacional de la Cultura es un lugar mágico en San José, escenario de ferias culturales, concursos, espectáculos de música, danza y teatro, festival de cine y exposiciones de artesanía. Se trata de un complejo de edificios de estilo colonial muy estético, que integra jardines, corredores, plazoletas y anfiteatros, además de un museo.

A estas horas de la mañana ya está lleno de público de todas las edades. En el centro de una plazoleta-jardín, un podio con un micrófono desde el que se van a leer poemas durante todo el Día de la Poesía.

—Es impresionante ver a tanta gente que ha venido a escuchar poemas. ¿Y quién va a leer? —pregunta Rocío.

—Poetas costarricenses muy conocidos del público, pero también jóvenes poetas desconocidos, y hasta poetas extranjeros de paso en la ciudad, como Manu… Sabemos que ganó el concurso en La Casa de América de España y por eso está en la lista de participantes. Se leen también poesías de poetas muy conocidos a nivel mundial.

Los organizadores anuncian el comienzo del evento[36], explicando que el tema de este año será el pacifismo. Hay varios discursos de personas importantes y por fin sube al estrado una muchacha muy joven, que anuncia:

—Voy a leerles el poema del poeta cubano Nicolás Guillén, "La Muralla".

Para hacer esta muralla,
tráiganme todas las manos:
los negros sus manos negras,
los blancos sus blancas manos.
Ay, una muralla que vaya
desde la playa hasta el monte,
desde el monte hasta la playa,
allá sobre el horizonte (…)

Y lee hasta el final el largo poema.

–Qué hermoso –comenta Rocío, entusiasmada.

–Sí, lo es. El grupo chileno Quilapayún tiene una versión musical muy linda, ¿la conocés? –pregunta Arlín.

El público aplaude en la mañana de sol. Hay también muchos niños que escuchan atentamente.

Sube al podio otra estudiante.

–"Ser y estar", de Mario Benedetti, poeta uruguayo.

Oh marine
Oh boy
Una de tus dificultades consiste en que no sabes
Distinguir el ser del estar
Para ti todo es to be *(…)*

Al llegar al final del largo poema, el público ríe.

–Genial, el viejo Benedetti –dice Manuel.

–Genial –responde Leonardo.

–Y para terminar con los clásicos, "El general", del poeta español Rafael Alberti.

Este poema lo leen dos estudiantes, una chica y un chico.

> *—Aquí está el general.*
> *¿Qué quiere el general?*
> *—Una espada desea el general.*
> *—Ya no existen espadas, general.*
> *¿Qué quiere el general?*
> *—Un caballo desea el general.*
> *—Ya no existen caballos, general.*
> *¿Qué quiere el general?*
> *—Otra batalla quiere el general.*
> *—Ya no existen batallas, general.*
> *¿Qué quiere el general?*
> *—Una amante desea el general.*
> *—Ya no existen amantes, general. (…)*

El hermoso poema continúa hasta la muerte del general, y el público aplaude.

—Tenemos entre nosotros —dice ahora el presentador—, a un joven poeta español que está visitando nuestro país, gracias a un concurso de poesía organizado por la Casa de América de Madrid, y que va a tener la gentileza de leernos uno de sus poemas. ¡Les presento a Manuel Arce!

Manuel suelta la mano de Rocío, se pone colorado, tropieza[37] dos veces mientras se dirige al podio, sube los escalones apresuradamente, tropieza otra vez, estrecha la mano del presentador, busca en sus bolsillos y por fin saca un papel:

—Muchas gracias, queridos amigos costarricenses, por organizar un acto tan bello y por permitirme participar en él. Voy a leerles un poema inspirado por los soldados latinoamericanos que luchan en guerras que no son suyas:

Mejicanos, salvadoreños, colombianos,
guatemaltecos, puertorriqueños, cubanos…
La green card[38] apretada en el bolsillo
y la esperanza llenando el corazón.

Son morenitos, chaparros[39], de ojos vivos,
también ellos son americanos.
Al final de la Guerra un pasaporte.
Al final de la Guerra nos casamos.
Al final de la Guerra está la Uni.
Y al final del desierto, lo soñado. (…)

Lee con voz más firme las últimas estrofas, y termina:

América, la nuestra, nos espera,
porque el american dream se ha terminado.

Todo el mundo aplaude y Manu es abrazado por varias personas, Leonardo y Arlín lo felicitan y Rocío está entusiasmada. Algunos jóvenes se acercan a charlar con ellos. Hay un breve descanso y van todos a tomar un café o un típico agua dulce. Los pájaros siguen cantando…

Capítulo 6

Veintidós millas de playa a orillas del Mar Caribe, once hábitats de especies únicas en el mundo, canales navegables, bosque tropical... y lo mejor, la fauna. Rocío hace fotografías y más fotografías: reptiles, aves, peces, anfibios y mamíferos... el sueño de un zoólogo.

—¡Mira, Manu, un tucán! ¡Es un tucán!

—Espera, Rocío —aconseja Arlín—, seguro que vamos a ver también un cóndor. Eso sí que es impactante. Pero baja la vista a tierra y mira.

Rocío va descubriendo lagartijas, sapos, iguanas... Nunca ha visto tantos animales en libertad... ¡Hasta un manatí!

—Hay también murciélagos que solo se alimentan de pescado —explica Leonardo—. Es muy divertido verlos cazar. ¡Cuidado con los cocodrilos y caimanes, a veces se pasean fuera del agua! Y con las ranas rojas, que son venenosas.

—¡Qué horror!

—Las tortugas son menos peligrosas, pero hacen sus nidos entre marzo y octubre. Ahora no se ven.

—¡Qué pena!

En el pueblo de Tortuguero comprueban la conciencia ecológica del país: hay pequeños contenedores para reciclar los desechos. Los bares se llaman aquí soda y uno de ellos tiene una tortuga verde pintada en la puerta. Mientras toman unas cervezas, preguntan:

–¿Y hoy, dónde vamos a dormir?

–¡Allá lejos, detrás de las palmeras! En aquellas cabañas de madera. ¡Pura vida!

–Hay cuatro habitaciones en cada una y una cocina común, podremos cocinar el pescado que se compra en el almacén de enfrente, fresquísimo, pescado esta mañana.

–¿Qué clase de pescado?

–Pargo. Leonardo es un gran cocinero y nos va a cocinar un pargo con salsa caribeña que lleva coco, chile dulce, picante, tomate…

–Hum… se me hace la boca agua[40].

Mientras cenan, hablan de música. A Arlín y Leonardo les gustan los grupos Jippo, Danza U y Editus. El panameño Rubén Blades ha cantado con estos últimos. Han traído algunos CD y los escuchan.

–A los ticos nos encanta la música –dice Arlín.

–Y sobre todo, bailar. ¿Y a ustedes? –pregunta Leo.

–También. En España se baila ahora mucha salsa, y también *rock*, *hip hop*, *reggae*…

–Pero ustedes tienen enormes cantantes: Joaquín Sabina, La Oreja de Van Gogh, Jarabe de Palo, Bebe, Miguel Bosé, Manu Chao, Kiko Veneno… Joan Manuel Serrat es adorado en toda América Latina. Estuvo hace poco en el Teatro Nacional.

–¿Os digo una frase muy oportuna de Serrat? –dice Manuel–. "Acumular amigos es la única acumulación que vale la pena".

–¡Por Serrat! –propone Arlín levantando su vaso de cerveza.

–¡Y por los amigos! –contesta Rocío levantando el suyo.

Capítulo 7

Los monos los despiertan por la mañana con sus gritos, saltando por encima de las cabañas. ¡No hay cristales en las ventanas! Menos mal que están protegidos por la mosquitera, pues también algunas lagartijas se pasean por las paredes. El desayuno les parece genial: frutas de nombres desconocidos, nunca vistas, jugos variados, queso fresco, delicioso café costarricense...

Tienen que prepararse rápidamente, porque hoy van a visitar un volcán.

–¡Un volcán! ¿Te das cuenta de lo que significa para mí este viaje, Manu?

–Claro que me doy cuenta. Tan importante como la experiencia de la Fiesta de la Poesía para mí.

–Parece un viaje a la carta, ¿verdad?

–Un lujo, una maravilla –dice Manuel llevando a Rocío hasta la ventana–. Y… a propósito de maravillas, mira a lo lejos y escucha:

Tu poeta piensa en ti.
La lejanía
es de limón y violeta,
verde el campo todavía.

–¡Qué bonito! Lo has escrito tú para mí, ¿verdad, Manu?

–No, mi amor. Don Antonio Machado.

Leo y Arlín llaman a la puerta. El 4x4 ya está preparado y los espera para la excursión del día, el volcán Arenal. Las carreteras están llenas de baches[41] y de agujeros, pero el todoterreno es resistente y las espaldas de los excursionistas son jóvenes. A pesar de ser temprano, hace ya muchísimo calor, un calor húmedo, que obliga a beber mucha agua.

—¿Qué temperatura tenemos? —pregunta Manuel.

—Treinta y un grados, *mae*.

—¡En Asturias está nevando! —dice Rocío.

—¿Y cómo lo sabés?

Rocío saca su móvil:

—Un SMS de mi mejor amiga.

—¿Tenés un celular conectado con España? ¡Qué bueno!

—Es indispensable… Si no, mis padres se mueren. Es la primera vez que viajo tan lejos. Mira este mensaje:

ROCÍO, MI NIÑA, TE ECHAMOS MUCHO DE MENOS[42]. CUÍDATE, TEN CUIDADO CON LAS SERPIENTES, NO BEBAS AGUA SIN HERVIR, COME BIEN… AQUÍ MUCHO FRÍO, ESTÁ NEVANDO. TODOS PREGUNTAN POR TI. MUCHOS BESOS.

—Tu mamá, ¿verdad? La mía es igualita —comenta Arlín—. Si no voy a comer con ella todos los domingos, se enoja. Si me voy un fin de semana, me extraña.

—Tenemos hora y media de carro —anuncia Leonardo—, y después, dos horas a pie. Vamos a pasar por las pailas de Tabacón, van a ver qué delicia para tomar un baño y relajarse.

—¿Las pailas?

—Son pequeñas piscinas de barro caliente del volcán. A lo mejor, con un poco de suerte vemos cangrejos gigantes de agua dulce en las lagunas del volcán.

—¿De qué tamaño?

—Pues miden como 13 cm o así…

—¡Qué espanto!

En un pequeño ranchito[43] de la carretera comen el tradicional gallopinto y picadillos con tortillitas de maíz. También papaya verde y piña, el gran tesoro de Costa Rica. Beben agua dulce, bebida a base de caña de azúcar, y continúan la subida a pie.

Atraviesan ríos, ven animales libres en su hábitat y notan la subida de adrenalina al ver el cráter del volcán. El baño en las piscinas calientes les relaja los músculos y les da fuerzas. Arriba, duermen en una cabaña-hotel, desde donde ven caer la lava ardiente del volcán. Antes de dormirse, Manuel escribe un largo poema sobre el fuego dentro de la tierra y sobre el fuego dentro de su corazón. Al acostarse, le susurra[44] a Rocío:

> *En el fuego del volcán, el calor de tus besos*
> *en la lava que baila, la forma de tu cuerpo,*
> *en el cráter que…*

—¿Neruda? ¿Juan Ramón Jiménez? ¿Lorca? —pregunta ella medio dormida.

—No, bonita mía. Tu Manu.

Dos días después salen hacia Monteverde y atraviesan en 4x4 la cordillera de Tilarán. Al final del viaje, la reserva de Monteverde, uno de los más ricos ecosistemas, con la promesa de un paseo por los aires, de árbol en árbol. Van a descubrir el *canopy*.

—Van a volar como pájaros, es espectacular, *mae* —les promete Leonardo, gran experto en este deporte.

—¿Pero cómo es posible volar por los árboles? Explícanos, por favor. ¿Es peligroso?

—Por si acaso, no se lo contés a tu mamá, Rocío. No, no es peligroso para nada. Hay todas las medidas de seguridad, podés creerme. Tenemos todo un trazado de pistas, de plataformas *canopy*, de bases en las copas[45] de los árboles, con puentes colgantes o con cables dobles muy potentes que van de uno a otro árbol, y que permiten observar la naturaleza desde diferentes puntos. ¿Querés saber cuántos cables hay y su dimensión?

—Dime.

—Pues once cables que van de 40 a 770 m de largo. Y también dos torres de observación desde donde se puede ver Puntarenas, en el Pacífico.

—Increíble, Leo. ¿Iremos al Pacífico?

—Pues claro. Son nuestras playas más lindas. Podrán quedarse allá tres días en un alojamiento de Naturaleza y Cultura, nuestra ONG. Tienen la habitación reservada para ustedes en Tamarindo. Arlín y yo tenemos que regresar a San José, porque tenemos una reunión importante. Pero no es complicado volver a Chepe[46]. Hay una buseta directa.

Capítulo 8

Monteverde es un lugar excepcional donde se hacen frecuentemente estudios ecológicos tropicales, punto de encuentro de científicos, y es también el más bello bosque tropical de Costa Rica. Los árboles están cubiertos de helechos y orquídeas y es el lugar preferido del pájaro quetzal.

Después del viaje por las copas de los árboles, Rocío escribe a sus padres:

INCREÍBLE VIAJE X LS AIRES. COLGADA COMO TARZÁN. ADRENALINA. VISTAS IMPRESIONANTES. AGUJETAS[47] MORTALES. OS Q MXO. (1)

Respuesta:

ESTÁS LOCA. VUELVE INMEDIATAMENTE.

Y Manu envía a Natalia este SMS:

HLA. Q PAÍS! NATURALEZA SALVAJE. SENSACIÓN D LIBERTAD. GENTE GUAY. M SIENTO PÁJARO. VOLVEMOS STE FINDE. BSS. (2)

(1) Increíble viaje por los aires. Colgada como Tarzán. Adrenalina. Vistas impresionantes. Agujetas mortales. Os quiero mucho.
(2) Hola. ¡Qué país! Naturaleza salvaje. Sensación de libertad. Gente guay. Me siento pájaro. Volvemos este fin de semana. Besos.

Respuesta:

BAJA A TIERRA CUANTO ANTES. KLS EL LUNES. EXÁMENES SMN
Q VIENE. FRÍO. BRRRR! H LGO. (3)

El *canopy* es una experiencia extraordinaria. La vista es
impresionante, todo verde, los cantos de miles de pájaros,
los puentes colgantes tan altos, el agua...

–¡Ay, *mae*, qué miedo! –grita Rocío con su casco, sus botas
de montaña y sus gruesos guantes para agarrar el cable–. ¡Me
muero de miedo! –y se lanza al vacío.

Al acabar, Manu y Rocío apenas pueden andar. Les duele
todo el cuerpo. Pero son felices. Muy felices.

Después del almuerzo, se despiden de sus amigos Arlín y
Leo, que les prometen pasar con ellos la última noche en San
José y conducirlos al aeropuerto.

Salen para Tamarindo y llegan justo a tiempo para ver la
más maravillosa puesta de sol del mundo, obsequio del
Pacífico. Y se prometen dar mañana un largo paseo por la
playa, un auténtico paraíso. Necesitan relajarse y es bueno un
poquito de sol y arena, después de tanto verde.

Se oye la música de una discoteca cercana, al aire libre.

–Me apetece muchísimo bailar, ¿vamos?

–Estás loca. Yo no puedo ni moverme.

–Vamos, porfa[48]... solo una horita

En la discoteca, junto a la playa, se baila salsa, merengue, *hip
hop, reggaeton*... todo lo que les gusta. Pero en cada movimiento sienten dolor: las agujetas del *canopy* no perdonan.

(3) Baja a tierra cuanto antes. Clases el lunes. Exámenes semana que viene. Frío
Brrrr! Hasta luego.

–¡Me duele todo!

Se sientan, como dos viejitos, mirando con envidia a los que bailan y beben refrescos de fruta para consolarse.

Hay rastas, chicas muy lindas que bailan maravillosamente, algunos jóvenes turistas extranjeros y, junto a la barra, un grupo de muchachos bebiendo y mirando a Rocío. Uno de ellos se acerca:

–¿Querés bailar?

Rocío, un poco nerviosa, contesta:

–Lo siento, estoy muy cansada. El *canopy* de esta mañana, ¿sabes?

El chico no parece contento. Lleva tatuajes en los brazos y en la cara también.

–Peor para vos –y se va.

Manu mira el reloj:

–Las doce y media… ¿Nos vamos al albergue y nos tomamos una aspirina para estar en forma mañana?

–Vale.

Se toman de la mano y comienzan a caminar a lo largo de la playa. La noche está oscura pero se ven algunas estrellas. Se oye el ruido de las olas y también la voz de Bob Marley en la discoteca, cada vez más lejos.

De repente, unos pasos detrás de ellos y alguien cubre la cabeza de Rocío con un saco.

–¡Manu…!

Es todo lo que puede gritar antes de tener la boca completamente tapada. Pero puede oír los gritos de Manu y otras voces de hombres que gritan también. Después, no recuerda nada más.

Capítulo 9

Abre los ojos lentamente. Tiene la boca seca, las manos atadas y le duele la cabeza. ¿Dónde se encuentra?

Está sentada en el suelo de una habitación sin muebles. La única ventana está cerrada y cubierta con una cortina negra. Oye una voz detrás de ella. Una voz de hombre:

—Tranquila. No te va a pasar nada. No te vamos a hacer daño. Solo queremos plata. Plata de tu familia. Solo tenés que darnos un número de teléfono seguro en España. Tenemos allá compañeros que irán a buscarlo.

Rocío no comprende nada, pero reconoce al muchacho de la discoteca. La camiseta sin mangas y el pantalón corto que lleva ahora muestran sus piernas y sus brazos completamente tatuados, el cuello y parte de su pecho también. Incluso en la cara lleva tatuajes.

—¿Por qué a mí? Mi familia no es rica. Además, mi madre no soportará saber que estoy secuestrada. Puede morir de un infarto. Por favor, déjame marchar, esto acabará mal para ti.

El muchacho se ríe.

—En ese caso, para vos también.

—¿Quién eres? ¿Para quién trabajas?

—¿Conocés las maras? Yo pertenezco a la más importante, La S-12 —dice el chico con orgullo—. Mirá.

Levanta su camiseta y muestra un tatuaje en el estómago, "S-12".

–Sí. Sé qué es una mara. Pero en Costa Rica…

–Yo no soy costarricense.

–¿De dónde eres, entonces?

–De otro país de Centroamérica. Qué te importa. La mara es trasnacional y por eso queremos reclutar gente acá. Pero hace falta *money*. Y para eso están ustedes, los ricos. ¿Me das el teléfono de tu gente o querés que me enoje?

Rocío siente que la cabeza le da vueltas y empieza a temblar.

–Me siento mal…

El muchacho saca una botella de la mochila que está en el suelo.

–Si no me desatas las manos, no puedo beber.

–Puedo acercarte la botella. Abrí la boca nomás y tomá.

El agua cae por la barbilla y el cuello de Rocío, pero consigue beber un poco. El agua tiene un sabor extraño y Rocío piensa en su madre: "No bebas agua sin hervir".

–Escucha. Te voy a dar el teléfono de mi compañero, su móvil. Él puede arreglar las cosas mejor que mis padres.

–A estas horas el celular de tu *compa* debe estar vigilado por la policía.

Rocío empieza a sentir mucho sueño y le cuesta trabajo hablar.

–Tus amigos pueden llamar desde una cabina y desaparecer rápidamente después, sin ser vistos.

–Eso sólo funciona en las películas. Dame el teléfono de tus papás, que me empiezo a cansar.

Rocío se siente cada vez peor, pero consigue recordar los prefijos y el número de su casa en Asturias: 00 34 985… Inmediatamente después, se queda dormida.

Capítulo 10

Manuel, después del golpe recibido en la playa y después de ver desaparecer a Rocío en un coche con dos encapuchados[49], corre desesperado hasta el albergue. Despierta al responsable, llama a la policía, telefonea a Leonardo y Arlín, que no contestan, y les deja un mensaje. Intenta después comunicar con el Consulado de España… pero son ya las dos de la madrugada y no es fácil. Media hora más tarde dos policías se presentan en el albergue.

–En la discoteca –les dice– un muchacho completamente tatuado, nos…

–¿Completamente tatuado? –interrumpe uno de ellos, y los dos policías se miran–. Entonces es un *marero*, seguro. Últimamente están entrando en nuestro país. Creemos saber quién es ese muchacho, y pertenece a una mara muy peligrosa.

En ese momento suena el móvil de Manuel.

–Manuel, hijo, ¿qué está pasando? Nos ha llamado un desconocido. Dice que tiene secuestrada a Rocío. Dinos que es una broma, no nos lo podemos creer. Piden 300 000 euros. ¿Qué significa esto? ¿Dónde está mi hija, Manuel?

–Es terrible… No he podido protegerla. Me siento muy mal, pero eran dos contra mí… No sé dónde está, pero la policía ya está aquí. Todo se va a arreglar, estoy seguro. Tranquilos, la vamos a encontrar… Le paso con el agente.

Capítulo 11

–¿Qué hora es? –pregunta Rocío sin tener ni idea de dónde está ni qué le pasa. Le duelen las muñecas[50] atadas y le duele todo el cuerpo. Tiene sueño, mucho sueño. Se sienta en el suelo con dificultad.

–Las 8.00 am –contesta él.

–¿Puedo saber cómo te llamas?

–¿Y a vos qué te importa? Orlando, si tanto te interesa.

–Orlando… ¿mis padres saben ya…?

–Saben.

–Dios mío, mi pobrecita madre.

–…

–Orlando, ¿tu madre sabe que tú…?

El chico se ríe otra vez.

–Mi mamá trabaja en España. Limpia inodoros[51] y cuida a viejos asquerosos en Madrid. Hace 12 años que no la veo.

–¿Y cuántos tienes tú?

–Mucha preguntita… 20, si tanto te interesa.

–¿Vives solo?

–¿Esto qué es, una entrevista para la revista *Hola*? ¿Me la van a pagar bien? Mi abuela nos crió a los tres, con los euros españoles de mi mamá, que sigue allá, limpiando mierda. Y no sé porqué te cuento todo esto a vos. Callate de una vez.

–Pobre, tu mamá.

—Pobrecito yo, que tengo ya 12 años de vivir en la mera calle. Y pobrecita vos, si tus papás no entregan la plata rápidamente.

—Orlando, no me encuentro bien, necesito ir al cuarto de baño. Desátame las manos, por favor. Sólo cinco minutos.

—Dos minutos nomás[52], y… ¡con la puerta abierta!

Rocío entra temblando en un lugar oscuro que huele mal. Su mano dolorida roza el fondo del bolsillo de sus tejanos[53]. ¡Allá está el móvil! ¡Lo había olvidado y no lo han descubierto! Ahora recuerda perfectamente el número de tres cifras que aprendió en el avión, pero… ¿cómo marcarlo sin ser vista? La puerta sigue abierta… Por encima de la tela del pantalón sitúa con los dedos la posición de los números y palpa[54] delicadamente el teclado. Sabe que el 9 es el penúltimo en la columna de la derecha y el 1, el primero de todos. Temblando de miedo pulsa el botón central y las tres cifras mágicas. Nada más. Pulsa también el botón de la cisterna[55] para hacer ruido y oye en el fondo de su bolsillo una voz que contesta: "Policía nacional, escucho…". Muerta de miedo, corta la conexión.

—¡Dos minutos! —grita Orlando.

Rocío vuelve a su lugar y Orlando le ata de nuevo las manos.

Capítulo 12

Leonardo y Arlín están junto a Manuel. Leonardo le explica:

–El fenómeno de las maras es muy duro y complicado. Su origen está en los años 80, en California. Jóvenes centroamericanos huyen de la guerra civil en sus países. Luchan unos contra otros y cometen muchos crímenes. La policía los expulsa de Estados Unidos. Actualmente, son más de 100 000 repartidos en varios países. En Costa Rica no tenemos maras, pero ellos intentan reclutar a jóvenes marginales. Van tatuados y son muy violentos. Quieren ser diferentes del resto de la sociedad. Aprenden la violencia en las películas y en la calle.

–Sí, pero hay que explicarlo todo –corta Arlín–. Los primeros aprendieron de los pandilleros[56] de Estados Unidos, pero ahora, la mayoría de estos muchachos vive en la calle. Los padres emigraron jóvenes a Europa o Estados Unidos para ganarse la vida. Y ellos se quedaron con los abuelos, que no podían controlarlos. La calle es su casa. Son como una secta, la lealtad y la solidaridad entre ellos es muy fuerte. Es un grave problema social. La delincuencia juvenil siempre tiene una causa social, o afectiva… o familiar.

El móvil de Manuel suena de nuevo. Es la policía. Han localizado la llamada del móvil de Rocío en un lugar cercano. Pero ellos no deben intervenir para nada. Tampoco la familia, en España. Sólo deben esperar y no comunicar con nadie.

–Van a salvarla, Manu… –dice Arlín–. Ten confianza.

Capítulo 13

Está llegando la noche. En el trópico cae bruscamente la oscuridad a las seis de la tarde. Rocío tiene miedo. Orlando enciende un bombillo[57] muy débil en el techo y alguien llama suavemente a la puerta. Es su compañero, con una mochila y dos colchonetas.

Saca de la mochila dos bocadillos y dos botellas de agua.

—Acá tenés. Esta es el agüita para la güila[58] —le dice con un guiño[59] de complicidad—. La otra es para vos.

Rocío comprende y siente aún más miedo. Las dos botellas de plástico son idénticas. Orlando coloca una cerca de Rocío y otra, cerca de él. Le desata las manos y le da un bocadillo.

—Cinco minutos nomás. ¿Y vos, a qué hora volvés, *bato*[60]?

—Necesito dormir, *mae*. Tengo ya casi 24 horas de vela. En una horita nomás. Tengo que llamar otra vez a los *compas* de Madrid.

—Desde tu celular, no olvidés. Y mirá bien antes de salir afuera.

—Ok, *bato*.

—Chau.

Orlando se levanta para desenrollar las colchonetas. Están atadas con una cuerda fina y la operación no parece fácil. Está de espaldas, luchando con los nudos, y Rocío piensa que su única oportunidad es cambiar de lugar ahora mismo las dos botellas. Y así lo hace. Le tiemblan las manos y todo el cuerpo.

No tiene hambre, pero come para disimular[61]. Orlando vuelve a su sitio, se sienta en el suelo y come también. El bocadillo tiene dentro algo muy picante. Rocío agarra su botella y bebe. Orlando la imita y se bebe la mitad de la botella destinada a la chica. Rocío lo mira con los ojos muy abiertos, sin respirar.

–¿Se puede saber qué mirás?

–¿Yo? ¿Qué voy a mirar yo? Los… los tatuajes.

–Mirá, *mae*… nuestros tatuajes cuentan nuestra historia. Nuestros gestos son solo nuestros, nuestra manera de… de hablar y de vivir… vivir el día a día, apoyarnos unos… unos a… a otros, ser…

Rocío nota que Orlando empieza a hablar con dificultad.

–¿Y no os importa matar?

–Nos importa ser… ser diferen…

Se cae al suelo poco a poco y se queda profundamente dormido.

Ese es el momento mismo en que Rocío saca el móvil de su bolsillo y marca de nuevo el 911.

Todo lo demás lo podemos imaginar.

Capítulo 14

—Lo más sorprendente de todo, mamá, es que no le tengo rencor. Me da pena ese chico, ese Orlando, te lo juro.

—Hija, estás cada día más loca. ¿Cómo puedes decir eso? Ese Orlando es un delincuente, un criminal…

—Mamá, desde aquí se ven las cosas de otra manera. Pero bueno, cambio de chip. ¿Sabes que ha salido mi foto en la prensa? En *La Nación*, el periódico más conocido de Costa Rica… Te llevo 10 ejemplares, para toda la familia y tus amigas. También hemos salido en la tele. Tienes una hija famosa.

—¡Ay, hija, qué ganas tengo de abrazarte en el aeropuerto! ¡Qué susto, qué susto! Estoy contando las horas que faltan. ¿A qué hora llega mañana el avión?

—¿Mañana? Es que… verás, mami, hay algo nuevo y nos quedamos un poquito más con los ticos, sólo un poquitico. Mañana te cuento en un SMS…

Están de vuelta en San José, en la Municipalidad[62] de la ciudad. Hay periodistas, fotógrafos, también el cónsul de España, los amigos de la ONG y representantes de la policía nacional. Rocío está todavía muy cansada y emocionada, pero ha dormido bien esta noche con los calmantes que le ha dado el médico que la examinó. Sin soltar la mano de Manu, repite muy seria a todos:

—No me hizo ningún daño, deben tenerlo en cuenta. Fue respetuoso conmigo y no me hizo mal. Hablamos mucho y me explicó su vida difícil. Es un pobre muchacho.

El alcalde los llama a su despacho y muy ceremoniosamente les comunica:

—Hemos decidido en consejo reunido esta mañana que para borrar el mal recuerdo que pueden tener de este triste episodio en nuestro país, les convidamos a pasar una semanita más con nosotros, en un excelente hotel, y con todos los gastos pagados. Nosotros nos ocupamos también de canjear los boletos de avión. Permítannos hacerlo para no sentirnos tan mal con tan gentiles visitantes.

—Y para empezar —dice Arlín, que también está presente—, visitaremos juntos un mariposario. ¿Qué mejor para un poeta y su rescatada novia?

Capítulo 15

La última semana descansan de tantas emociones en un maravilloso lugar, Sarapiquí, y de camino, visitan el Parque INBIO y sus jardines de mariposas.

—¿Hay algo más bello que una mariposa? –pregunta Manuel.

—Seguro que ya estás pensando en un nuevo poema, ¿a que sí?

—Más o menos. Pero, ¿verdad que parecen flores que vuelan? No me escuchas, mi amor… ¿En qué estás pensando?

—Pienso en… en Orlando y los otros. No es normal todo esto. ¿Crees que un día pueden cambiar las cosas para ellos ?

—Creo que sí, haciendo desaparecer la pobreza, elevando la educación y creando oportunidades de trabajo.

—Poco menos que imposible.

—Cosas más difíciles se han visto.

Desde Sarapiquí ven el volcán Poás y visitan un magnífico museo de insectos y mariposas. Pero a Rocío no le gustan las mariposas muertas. Caminan despacio hacia unas bellas cataratas. La temperatura es deliciosamente fresca y se encuentran bien.

—¿Sabes qué? –dice Manuel–. Siento que este país es ya muy importante para mí. Quiero volver algún día contigo.

—Podemos casarnos y volver para una auténtica luna de miel.

–¿Casarnos, Rocío? ¿De verdad lo piensas? Escucha este poema:

> Libre te quiero,
> como arroyo que brinca
> de peña en peña.
> Pero no mía.
> Grande te quiero,
> como monte preñado
> de primavera.
> Pero no mía. (...)
> Blanca te quiero,
> como flor de azahares
> sobre la tierra.
> Pero no mía.
> Pero no mía
> Ni de Dios ni de nadie
> ni tuya siquiera.

–Qué maravilla. ¿Joaquín Sabina?

–No, mi niña. Agustín García Calvo. Y, más bonito aún, cantado por Amancio Prada. Te regalo el CD nada más llegar a Oviedo.

En el camino de regreso, muy juntos, pasa un campesino y les dice:

–Con Dios, amigos.

–Esas cosas ya casi no se dicen en España, ¿verdad? Qué español tan bonito hablan aquí.

Siguen caminando y descubren en la tierra de la carretera una frágil mariposa anaranjada, atropellada por un autobús. Y la acompañan en silencio, hasta que muere en paz.

NOTAS EXPLICATIVAS

(1) **Móvil.** En España, teléfono portátil. En América Latina se usa "celular".

(2) **Qué pasada.** Expresión coloquial muy frecuente en España, que se dice cuando algo es muy sorprendente.

(3) **Cortito.** Diminutivo de "corto". Los diminutivos se emplean con gran frecuencia, sobre todo en América Latina.

(4) **Emanciparse.** Se dice cuando los hijos se van de casa de sus padres para vivir solos.

(5) **Qué guay.** Equivale a "qué bien", "qué bonito", "qué estupendo", "qué bueno".

(6) **Alucinar, alucinante.** Increíble, imposible, extraordinario.

(7) **Jo.** Exlamación que puede expresar, entre otras cosas, admiración, asombro, contrariedad o protesta.

(8) **Rico, a.** Juego de palabras, ya que "rico" (con el verbo *ser*) se refiere a quien tiene mucha riqueza, pero "rico" (con *estar*) se refiere también a algo sabroso.

(9) **Venga ya.** Expresión coloquial, aquí tiene un valor de rechazo, de incredulidad.

(10) **Anda.** Expresión coloquial usada aquí para animar a alguien a hacer algo.

(11) **Abolición, abolir**. Anular.

(12) **Presupuesto.** Dinero que se destina a determinados gastos.

(13) **Sidra.** Bebida alcohólica típica de Asturias que se obtiene de la manzana.

(14) **Oviedo.** Ciudad del Noroeste de España, capital del Principado de Asturias.

(15) Los **premios Príncipe de Asturias** se otorgan todos los años en Oviedo y los entregan personalmente los Príncipes de España. Premian los trabajos científicos, artísticos, deportivos, humanitarios, culturales, etc. Los han obtenido personajes tan diversos como Woody Allen, Mary Robinson, UNICEF, Pedro Almodóvar, Bill Gates...

(16) **Erasmus.** Programa creado por la Comisión Europea que permite a estudiantes de cualquier país de la UE seguir estudios en otras universidades de la Europa comunitaria.

(17) **Visa.** Visado, documento necesario, además del pasaporte, para ir a algunos países.

(18) **Uni.** Diminutivo de Universidad

(19) **Rubén Darío.** Poeta nicaragüense (1867–1916), figura esencial del movimiento modernista.

(20) **Cruzar el charco.** Expresión que significa, tanto en Latinoamérica como España, pasar al otro lado del Atlántico, ir de España a América y viceversa. Un "charco" es agua detenida en una cavidad del suelo.

(21) **Qué más da.** No importa.

(22) **Joaquín Sabina.** Cantautor y poeta español.

(23) **Pablo Neruda.** Poeta chileno del s. xx que ganó el Premio Nobel de Literatura.

(24) **Sobresaliente.** Una de las notas más altas que se dan en el sistema escolar.

(25) **Tío, tía.** En español coloquial, es una forma de llamarse entre jóvenes.

(26) **Gozada.** Expresa un sentimiento placentero.

(27) **Cuentacuentos.** Personas que cuentan cuentos o historias en fiestas y escuelas.

(28) **Marimberos.** Músicos que tocan la marimba, instrumento parecido al xilófono muy popular en Centroamérica.

(29) **Buseta.** En Costa Rica, autobús pequeño.

(30) **Pura vida.** Expresión familiar muy frecuente en Costa Rica que significa "muy bien", "perfecto".

(31) **Codazo.** Golpe que se da con el codo.

(32) **Bajito.** En voz baja, con poco volumen.

(33) **Madrugar.** Levantarse muy temprano.

(34) **Ir de marcha.** Salir, generalmente de noche, a divertirse, bebiendo, bailando, etc.

(35) **Guaritos.** Bebida típica costarricense, hecha con alcohol de caña de 30º.

(36) **Evento.** Acto o acontecimiento social o cultural.

(37) **Tropieza, tropezar.** Dar con los pies en un obstáculo.

(38) *Green card.* Tarjeta que permite a una persona residir y trabajar legalmente en EE.UU. Es un documento difícil de conseguir.

(39) **Chaparro.** Persona de pequeña estatura.

(40) **Hacérsele la boca agua a alguien.** Expresión usada cuando pensamos en algo apetitoso y se nos llena la boca de saliva.

(41) **Bache.** Irregularidad o desnivel en la carretera.

(42) **Echar de menos.** Sentir nostalgia de alguien o de algo.

(43) **Rancho.** En Costa Rica, pequeño bar en el campo o la playa.

(44) **Susurrar.** Hablar en voz muy baja.

(45) **Copa.** Parte más alta de un árbol.

(46) **Chepe.** Nombre familiar que los costarricenses dan a su capital, San José. También se da este nombre a los que se llaman José.

(47) **Agujetas.** Dolor en los músculos después de haber practicado deporte o hecho un esfuerzo físico.

(48) **Porfa.** En registro coloquial, abreviatura de "por favor".

(49) **Encapuchado.** Persona con la cabeza y la cara cubiertas con una capucha, prenda que solo tiene una abertura para los ojos.

(50) **Muñeca.** Parte del cuerpo que articula la mano con el brazo.

(51) **Inodoro.** Es el cuarto de baño, también se dice baño o lavabo. En algunos países de Latinoamérica emplean nombres en inglés como *WC, rest room* o *toilet*.

(52) **Nomás.** Adverbio muy frecuente en América Latina, significa "solamente".

(53) **Tejanos.** Pantalones vaqueros, *bluejeans*.

(54) **Palpar.** Tocar con las manos una cosa para reconocerla.

(55) **Cisterna.** Depósito de agua para el inodoro.

(56) **Pandillero.** Persona que forma parte de una pandilla, en este caso, de un grupo de delincuentes callejeros.

(57) **Bombillo.** Lámpara eléctrica; en España se dice bombilla.

(58) **Güila.** En Costa Rica se llama así a los niños.

(59) **Guiño.** Gesto que consiste en cerrar un ojo rápidamente mientras se mantiene el otro abierto. Se suele usar como señal de advertencia o complicidad.

(60) **Bato.** En el argot de Costa Rica, "compañero".

(61) **Disimular.** Desviar la atención, ocultar algo.

(62) **Municipalidad.** Institución responsable del gobierno de un municipio en la que el alcalde es la máxima autoridad.

¿HAS COMPRENDIDO BIEN?

1. Responde a las siguientes preguntas.

1. ¿Cómo se entera Manuel de que ha ganado un premio?
2. ¿En qué consiste el premio?
3. ¿Por qué elige Manuel viajar a Costa Rica?
4. ¿Por qué razón desea Rocío viajar a este país?
5. ¿Puedes situar geográficamente Costa Rica?
6. ¿Por qué se llama ticos a los costarricenses?
7. ¿Cuál es el principal recurso económico de Costa Rica?
8. ¿Qué otras cosas has aprendido sobre Costa Rica leyendo esta historia?
9. ¿Puedes explicar qué son las maras y en qué países existen?
10. ¿Por qué es decisivo en esta historia el cambio de dos botellas de agua?

2. Di si son verdaderas o falsas estas afirmaciones. V F

1. La moneda utilizada en Costa Rica es el peso. ☐ ☐
2. Entre España y Costa Rica hay tres horas de diferencia horaria. ☐ ☐
3. Rocío y Manuel están decididos a casarse al llegar a Madrid. ☐ ☐
4. A Manuel le encanta leer y escribir poesía. ☐ ☐
5. Leonardo y Arlín trabajan para una ONG. ☐ ☐
6. Pablo Neruda es un poeta costarricense. ☐ ☐
7. Las palabras *celular* y *móvil* designan el mismo objeto. ☐ ☐
8. Las palabras *visa* y *visado* designan el mismo documento. ☐ ☐
9. La Municipalidad de San José regala a Rocío y Manuel una moto para viajar fácilmente por el país. ☐ ☐

3. Marca con una cruz la respuesta correcta.

a) Para entrar en Costa Rica, los ciudadanos de la UE necesitan:
        una visa
        un pasaporte normal
        un pasaporte electrónico

b) El número de habitantes de Costa Rica es:
        3 000 000
        4 133 000
        5 462 000

c) Costa Rica abolió en 1958:
        la pena de muerte
        el sufragio universal
        el Ejército

d) Un plato típico de la gastronomía costarricense es:
        el cuscús
        la paella
        el gallopinto

e) La costa Oeste de Costa Rica está bañada por:
        el Mar Caribe
        el Océano Pacífico
        el Océano Atlántico

4. Subraya el intruso en este grupo de palabras relacionadas con Costa Rica.

volcán   playa   *canopy*   parque   nieve   tico   café

5. Relaciona las palabras de las dos columnas.

| plata |
| abolición |
| Tú |
| Óscar Arias |
| volcán |
| catarata |
| insectos |
| Rubén Darío |

| Premio Nobel |
| mosquitera |
| dinero |
| Ejército |
| vos |
| agua |
| Nicaragua |
| fuego |

6. Imagina que vas a viajar a Costa Rica. Haz una lista con todo lo que vas a llevar en tu maleta.

7. Forma diminutivos con las siguientes palabras.

Casa .... Árbol .... Pájaro ....

Viaje...................... Pequeño .... Noche ....

8. Forma los plurales de las siguientes palabras.

asturiano ....   altavoz   ....
azafata   ....   intercontinental ....
verdad   ....   general   ....
volcán   ....   reloj   ....

9. Escribe el femenino de las siguientes palabras.

hombre   ....   padre ....
español   ....   poeta ....
costarricense ....   joven ....

10. Completa con el pronombre necesario en cada caso.

me se le les nos

1. En Costa Rica .... practica el voseo.
2. Arlín comenta que su madre .... extraña mucho cuando viaja.
3. "Mi madre .... abandonó", dice Orlando.
4. A Manuel y Rocío .... encanta Costa Rica.
5. A Manuel también .... gusta la poesía.
6. Y a Rocío .... apasiona la naturaleza.
7. Orlando .... duerme porque ha bebido un somnífero.
8. "A nosotros, los costarricenses, ... llaman ticos", dice Arlín.
9. Manu escribe a su hermana en un SMS, después de haber "volado", "....... siento pájaro".

11. Conjuga en presente los siguientes verbos.

1. Manuel (escribir) .... poesía.

2. Leo (ser) .... Costarricense.

3. Natalia .... (buscar) una botella en la nevera.

4. Óscar Arias (obtener) .... el Premio Nobel de la Paz en 1987.

5. En la lectura de poesía (intervenir) .... varios autores.

6. Yo no (saber) .... qué es una *mara*.

7. Rocío (decir) .... que estudia Biológicas.

8. Manuel dice: "Vosotros (ser) .... más respetuosos".

9. En la plaza solo se (oír) .... el canto de los pájaros.

12. Forma frases con el verbo GUSTAR.

1. Rocío (gustar) la comida de Costa Rica

....

2. Tú (gustar) viajar

....

3. A los costarricenses (gustar) diminutivos

....

4. Yo (gustar) los deportes

....

5. Ustedes (gustar) la poesía

....

6. Vosotros (gustar) leer

....

7. Vos (gustar) la cerveza

....

13. Completa las frases con ES o ESTÁ.

1. Rocío .... enamorada de Manuel.
2. Arlín .... de Costa Rica.
3. Orlando .... un marero.
4. El *canopy* .... un deporte peligroso.
5. Costa Rica .... entre dos mares.
6. La madre de Rocío .... muy miedosa.
7. Oviedo .... en el norte de España.
8. Manuel .... un poeta.
9. El premio .... un viaje a Costa Rica.
10. Lo que no desea Manuel .... casarse.

14. Completa cada frase con la preposición adecuada.

con   a   de   contra   en   por   para

1. Rocío es .... Oviedo.
2. Manu está enamorado .... Rocío.
3. Manu llama .... teléfono al Departamento de Intercambios Culturales.
4. El premio del concurso es un viaje .... un país de Latinoamérica .... todos los gastos pagados.
5. Orlando ha secuestrado .... Rocío.
6. Orlando pertenece .... una mara.
7. ¿Cuál es el código internacional .... llamar a Costa Rica?
8. La comida del avión es insípida, no sabe .... nada.
9. Manu y Rocío han ido .... Costa Rica .... avión.
10. Las maras luchan unas .... otras.